LA DIDACHÈ OU L'ENSEIGNEMENT DES DOUZE APÔTRES

SUIVI DE L'ÉPÎTRE DE BARNABÉ

Traduction par
HIPPOLYTE HEMMER

TABLE DES MATIÈRES

Introduction   I

LA DIDACHÈ OU
L'ENSEIGNEMENT DES DOUZE
APÔTRES

Chapitre 1   9
Chapitre 2   I I
Chapitre 3   I 2
Chapitre 4   I 4
Chapitre 5   I 6
Chapitre 6   I 8
Chapitre 7   I 9
Chapitre 8   20
Chapitre 9   22
Chapitre 10   24
Chapitre 11   26
Chapitre 12   28
Chapitre 13   29
Chapitre 14   3 0
Chapitre 15   3 I
Chapitre 16   32

LETTRE DE BARNABÉ

Chapitre 1   37
Chapitre 2   39
Chapitre 3   42
Chapitre 4   44

Chapitre 5   47

Chapitre 6   50

Chapitre 7   55

Chapitre 8   58

Chapitre 9   60

Chapitre 10   63

Chapitre 11   67

Chapitre 12   70

Chapitre 13   73

Chapitre 14   75

Chapitre 15   78

Chapitre 16   80

Chapitre 17   83

Chapitre 18   84

Chapitre 19   85

Chapitre 20   88

Chapitre 21   90

INTRODUCTION

J.-B. Cotelier publia le premier, en 1672, une édition des saints Pères « qui ont vécu aux temps apostoliques ». L'expression de Pères apostoliques s'applique très exactement aux écrivains de l'antiquité chrétienne qui ont connu les apôtres ou qui auraient pu connaître quelqu'un d'entre eux : tels sont vraisemblablement l'auteur de la Didachè et celui de la lettre dite de Barnabé.

Si l'on ne tient compte que du contenu de la Didachè, ce petit écrit anonyme, dans sa forme présente, se divise nettement en trois parties :

- Une catéchèse morale (I-VI) ;
- Une instruction liturgique (VII-X) ;
- Une ordonnance disciplinaire (XI-XV).

Le chapitre XVI, sur les fins dernières, en fait l'épilogue.

~

La catéchèse morale est donnée sous la forme d'une description des deux voies conduisant l'une à la vie, l'autre à la mort :

I. La voie de la vie suppose :

1) La pratique de l'amour de Dieu et du prochain ;

Amour des ennemis ;

Renonciation à son droit strict ;

Libéralité dans l'aumône.

2) La fuite du mal. Les préceptes moraux sont distribués en deux séries presque parallèles où les péchés principaux reviennent à peu près dans le même ordre, mais la seconde fois avec l'indication des suites les plus graves de certains péchés.

3) L'accomplissement des devoirs qui règlent nos rapports :

Avec nous-mêmes ;

Avec la communauté, chefs et fidèles ;

Avec les pauvres ;

Avec les membres de la famille, enfants, serviteurs.

La description s'achève par une brève exhortation à remplir

intégralement la loi divine, à purifier sa conscience par la confession du péché.

II. La voie de la mort est décrite sommairement par rénumération de presque toutes les œuvres mauvaises déjà défendues précédemment et mises, à peu de chose près, dans le même ordre.

Conclusion de la catéchèse morale : viser à la perfection, mais du moins tenir essentiellement à l'abstinence de viande immolée.

L'Instruction liturgique a pour objet :

1) Le baptême : formule, mode d'administration, préparation morale par le jeûne ;
   2) Le jeûne : les jours du jeûne ;
   3) La prière : oraison dominicale trois fois par jour ;
   4) L'eucharistie : deux séries de prières coupées par une remarque, savoir que l'eucharistie est réservée aux seuls baptisés.

L'Ordonnance disciplinaire règle :

1) La conduite à tenir envers les prédicateurs, qu'il ne faut recevoir que s'ils se tiennent à la doctrine précédemment proposée, mais spécialement envers :

Les apôtres ou prédicateurs itinérants ;

Les prophètes, qu'il faut discerner ;

Les frères voyageurs qu'il faut héberger ;

Les prophètes et docteurs éprouvés qu'il faut sustenter en donnant les prémices des produits.

2) Le gouvernement intérieur de la communauté.

Son groupement normal est la réunion eucharistique du dimanche : on y célèbre un sacrifice.

Confession des péchés s'il y a lieu et réconciliation des ennemis ;

Les chefs sont les évêques et les diacres ;

Correction fraternelle des membres ;

Recommandation générale de vivre selon l'Evangile ;

Epilogue : Invitation énergique à la vigilance, à la persévérance, en vue des derniers jours qui verront fleurir les faux prophètes et se produire le règne du séducteur du monde et la venue du Seigneur.

*

L'écrit publié en 1833 sous le titre de Doctrine des douze apôtres a joui d'une grande popularité et d'une grande autorité dans l'antiquité ecclésiastique. Il offre des rapports si étroits avec une partie de la lettre de Barnabé qu'on a pu se demander lequel des deux auteurs avait utilisé l'autre. Un écrit servant à l'instruction des catéchumènes devait nécessairement être très connu et souvent inspirer les écrivains et leur fournir de-ci de-là une pensée, une expression, sans qu'on puisse toujours conclure avec certitude à un emprunt.

Cependant, en examinant sans parti pris le contenu de la Didachè, nous pouvons écarté l'hypothèse d'une antériorité de la Lettre de Barnabé. Il est en effet hors de doute que la Doctrine des apôtres est un écrit de la plus haute antiquité : elle ne contient aucune trace de symbole, de canon des Écritures ; elle semble citer une lettre de saint Paul, mais ne connaît pas son autorité apostolique ; elle décrit la hiérarchie des apôtres, des docteurs, des prophètes, tous ministres itinérants de la parole, et lui subordonne la hiérarchie sédentaire des épiscopes et des diacres, sans trace d'épiscopat monarchique ; elle décrit une liturgie très primitive, très simple, très pauvre en rites ; elle ne fait allusion à aucune sorte de gnosticisme ni de persécution ; tout cet ensemble de caractères convient à une époque plus primitive que celle qui nous est dépeinte dans la vie et les œuvres de Clément de Rome, d'Ignace d'Antioche, de Polycarpe de Smyrne, etc. Il semble donc qu'on ne court point risque d'erreur en plaçant la composition de la Didachè avant l'an 100 de notre ère.

Dès lors, le principal intérêt de la Didachè réside dans le

tableau qu'elle nous trace des institutions chrétiennes. Elle nous apporte des renseignements souvent uniques sur la pratique des premières communautés, sur le baptême, les jeûnes, les temps de la prière, l'eucharistie, le ministère de la parole, la hiérarchie, la pénitence.

LA DIDACHÈ OU L'ENSEIGNEMENT DES DOUZE APÔTRES

Doctrine du Seigneur enseignée aux nations
par les douze Apôtres.

ΔΙΔΑΧΗ

ΤΩΝ ΔΩΔΕΚΑ ΑΠΟΣΤΟΛΩΝ

CHAPITRE UN

Il y a deux chemins : l'un de la vie, l'autre de la mort ; mais il est entre les deux chemins une grande différence.

[2] Or le chemin de la vie est le suivant : « d'abord, tu aimeras Dieu qui t'a créé ; en second lieu, tu aimeras ton prochain comme toi-même ; et ce que tu ne veux pas qu'il te soit fait, toi non plus ne le fais pas à autrui. »

[3] Et voici l'enseignement signifié par ces paroles : « Bénissez ceux qui vous maudissent, priez pour vos ennemis, jeûnez pour ceux qui vous persécutent. Quel mérite, en effet, d'aimer ceux qui vous aiment ! Les païens n'en font-ils pas autant ? Quant à vous, aimez ceux qui vous haïssent », et vous n'aurez pas d'ennemis. [4] « Abstiens-toi des désirs charnels » et corporels. « Si quelqu'un te donne un soufflet sur la joue droite, présente lui l'autre aussi, et tu seras parfait ; si quelqu'un te requiert de faire un mille, fais-en deux avec lui ; si

quelqu'un t'enlève ton manteau, donne-lui encore ta tunique ; si quelqu'un t'a pris ton bien, ne le réclame pas », car tu n'en as pas le pouvoir. [5] « Donne à quiconque t'implore, sans rien redemander », car le Père veut qu'il soit fait part à tous de ses propres largesses. Heureux celui qui donne, selon le commandement ! car il est irréprochable. Malheur à celui qui reçoit ! certes si le besoin l'oblige à prendre, il est innocent ; mais, s'il n'est pas dans le besoin, il rendra compte du motif et du but pour lesquels il a pris ; il sera mis en prison, examiné sur sa conduite et « il ne sortira pas de là qu'il n'ait rendu le dernier quart d'as ». [6] Mais il a été dit également à ce sujet : « Laisse ton aumône se mouiller de sueur dans tes mains, jusqu'à ce que tu saches à qui tu donnes ».

CHAPITRE DEUX

Deuxième commandement de la doctrine : [2] « Tu ne tueras pas, tu ne seras pas adultère, » tu ne souilleras point de garçons, tu ne commettras ni fornication, « ni vol, » ni incantation, ni empoisonnement ; tu ne tueras point d'enfants, par avortement ou après la naissance ; « tu ne désireras pas les biens de ton prochain. [3] Tu ne te parjureras pas, tu ne diras pas de faux témoignage », tu ne tiendras pas de propos médisants, tu ne garderas pas de rancune. [4] Tu n'auras pas deux manières de penser ni deux paroles : car la duplicité de langage est un piège de mort. [5] Ta parole ne sera pas menteuse ; pas vaine non plus, mais remplie d'effet. [6] Tu ne seras ni avare, ni rapace, ni hypocrite, ni méchant, ni orgueilleux ; tu ne formeras pas de mauvais dessein contre ton prochain. [7] Tu ne dois haïr personne ; mais tu dois reprendre les uns, et prier pour eux, et aimer les autres plus que ta vie.

CHAPITRE TROIS

Mon enfant, fuis tout ce qui est mal et tout ce qui ressemble au mal. [2] Ne sois pas irascible, car la colère mène au meurtre ; pas jaloux, ni querelleur, ni violent, car c'est de là que viennent les meurtres. [3] Mon enfant, ne sois pas convoiteux, car la convoitise mène à la fornication ; ne sois pas répandu en propos obscènes et en regards effrontés, car tout cela engendre les adultères. [4] Mon enfant, n'observe pas le vol des oiseaux, car cela mène à l'idolâtrie ; garde-toi des incantations, des calculs astrologiques, des purifications superstitieuses, refuse même de les voir et de les entendre, car tout cela engendre l'idolâtrie. [5] Mon enfant, ne sois pas menteur, car le mensonge mène au vol ; pas avide d'argent ou de vaine gloire, car tout cela engendre les vols. [6] Mon enfant, ne sois pas adonné aux murmures, car ils mènent au blasphème ; ni insolent et malveillant, car tout cela engendre les blasphèmes. [7] Au contraire sois doux, car « les doux auront la terre en partage ». [8] Sois patient, miséricordieux, sans malice, paisible et bon ; tremble continuellement aux paroles que tu as entendues. [9] Tu ne t'élèveras pas toi-même, tu n'ouvriras pas ton âme à la présomption. Ton âme n'adhérera pas aux superbes, mais tu fréquenteras les justes et les humbles. [10] Tu accueilleras comme autant de biens les événements qui t'arrivent, sachant que rien ne se fait sans Dieu.

CHAPITRE QUATRE

Mon enfant, souviens-toi nuit et jour de celui qui t'annonce la parole de Dieu ; honore-le comme le Seigneur, car là où est annoncée sa souveraineté, là est aussi le Seigneur. [2] Recherche tous les jours la compagnie des Saints, afin de te réconforter par leurs conversations. [3] Tu ne feras point de schisme, mais tu mettras la paix entre ceux qui se combattent. « Tu jugeras avec justice » ; tu ne feras pas acception de la personne en reprenant les fautes. [4] Tu ne demanderas pas avec inquiétude si une chose arrivera ou non.

[5] « Ne tiens pas les mains étendues quand il s'agit de recevoir, et fermées quand il faut donner ». [6] Si tu possèdes quelque chose grâce au travail de tes mains, donne afin de racheter tes péchés. [7] Ne balance pas avant de donner, mais donne sans murmure et tu reconnaîtras un jour qui sait récompenser dignement. [8] Ne repousse pas l'indigent, mets tout en

commun avec ton frère et ne dis pas que tu as des biens en propre, car si vous entrez en partage pour les biens immortels combien plus y entrez-vous pour les biens périssables ?

[9] Tu ne retireras pas la main de dessus ton fils et ta fille ; mais dès leur enfance tu leur enseigneras la crainte de Dieu. [10] Tu ne commanderas pas avec aigreur à ton esclave ou à ta servante qui mettent leur espérance dans le même Dieu que toi, de peur qu'ils ne perdent la crainte de Dieu, qui est au-dessus des uns et des autres ; car il n'appelle pas suivant la qualité de la personne, mais il vient à ceux que l'esprit a préparés. [11] Pour vous, esclaves, vous serez soumis à vos seigneurs comme à une image de Dieu, avec respect et avec crainte.

[12] Hais toute hypocrisie et tout ce qui déplaît au Seigneur ; [13] ne mets pas de côté les « commandements du Seigneur, mais observe » ceux que tu as reçus « sans rien ajouter ni rien retrancher ». [14] Dans l'assemblée, tu feras l'exomologèse de tes péchés et tu n'iras pas à la prière avec une conscience mauvaise.

Tel est le chemin de la vie.

CHAPITRE CINQ

Voici maintenant le chemin de la mort. Avant tout il est mauvais et plein de malédiction : « meurtres, adultères », convoitises, « fornications, vols, » idolâtrie, pratiques magiques, empoisonnements, rapines, « faux témoignages », hypocrisie, duplicité du cœur, « ruse, orgueil, malice », arrogance, « avarice », obscénité de langage, jalousie, insolence, faste, « forfanterie », absence de toute crainte. [2] Persécuteurs des hommes de bien, ennemis de la vérité, amateurs du mensonge, qui ignorent la récompense de la justice, « qui ne s'attachent pas au bien » ni au juste jugement, qui sont en éveil, non pour le bien, mais pour le mal, qui sont loin de la douceur et de la patience, qui « aiment la vanité », qui « courent après la récompense », qui n'ont pas de pitié pour le pauvre et ne se mettent point en peine des affligés, qui méconnaissent leur propre créateur, « meurtriers d'enfants », et meurtriers par avortement des créatures de Dieu, qui se détournent de l'indigent et accablent les opprimés, avocats des riches, et juges iniques des pauvres, pécheurs de part en part ! Puissiez-vous, ô mes enfants, être préservés de tous ces gens-là !

CHAPITRE SIX

Veille « à ce que nul ne te détourne » de ce chemin de la Doctrine, car celui-là t'enseigne en dehors de Dieu. [2] Si tu peux porter tout entier le joug du Seigneur, tu seras parfait ; sinon, fais du moins ce qui est en ton pouvoir. [3] Quant aux aliments, prends sur toi ce que tu pourras ; mais abstiens-toi complètement des viandes offertes aux idoles, car c'est là un culte rendu à des dieux morts.

CHAPITRE SEPT

Pour le baptême, donnez-le de la manière suivante : après avoir enseigné tout ce qui précède, « baptisez au nom du Père et du Fils et du Saint-Esprit », dans de l'eau courante. [2] S'il n'y a pas d'eau vive, qu'on baptise dans une autre eau et à défaut d'eau froide, dans de l'eau chaude. [3] Si tu n'as (assez) ni de l'une ni de l'autre, verse trois fois de l'eau sur la tête « au nom du Père et du Fils et du Saint-Esprit ». [4] Que le baptisant, le baptisé et d'autres personnes qui le pourraient, jeûnent avant le baptême ; du moins au baptisé ordonne qu'il jeûne un jour ou deux auparavant.

CHAPITRE HUIT

« Q ue vos jeûnes n'aient pas lieu en même temps que ceux des hypocrites » ; ils jeûnent en effet le lundi et le jeudi ; pour vous, jeûnez le mercredi et le vendredi. [2] « Ne priez pas non plus comme les hypocrites », mais de la manière que le Seigneur a ordonné dans son évangile : « Priez ainsi :

Notre Père qui es au ciel,

Que ton nom soit sanctifié,

Que ton royaume arrive,

Que ta volonté soit faite sur la terre comme au ciel.

Donne-nous aujourd'hui le pain nécessaire à notre existence,

Remets-nous notre dette

Comme nous remettons aussi la leur à nos débiteurs,

Et ne nous induis pas en tentation,

Mais délivre-nous du mal » ;

Car à toi est la puissance et la gloire dans les siècles !

[3] Priez ainsi trois fois par jour.

CHAPITRE NEUF

Quant à l'eucharistie, rendez grâce ainsi. [2] D'abord pour le calice :

Nous te rendons grâce, ô notre Père,

Pour la sainte vigne de David ton serviteur,

Que tu nous as fait connaître par Jésus ton serviteur.

Gloire à toi dans les siècles !

[3] Puis, pour le pain rompu :

Nous te rendons grâce, ô notre Père,

Pour la vie et la science

Que tu nous as fait connaître par Jésus ton serviteur.

Gloire à toi dans les siècles !

[4] Comme ce pain rompu, autrefois disséminé sur les montagnes, a été recueilli pour devenir un seul tout,

Qu'ainsi ton Église soit rassemblée des extrémités de la terre dans ton royaume,

Car à toi est la gloire et la puissance par Jésus-Christ dans les siècles !

[5] Que personne ne mange et ne boive de votre eucharistie, si ce n'est les baptisés au nom du Seigneur, car c'est à ce sujet que le Seigneur a dit : « Ne donnez pas ce qui est saint aux chiens. »

CHAPITRE DIX

A près vous être rassasiés, rendez grâce ainsi :

[2] Nous te rendons grâce, « ô Père Saint ! »

Pour ton saint nom

Que tu as fait habiter dans nos cœurs,

Pour la connaissance, la foi et l'immortalité

Que tu nous as révélées par Jésus ton serviteur.

Gloire à toi dans les siècles !

[3] C'est toi, maître tout-puissant,

Qui as « créé l'univers » à l'honneur de ton nom,

Qui as donné aux hommes la nourriture et la boisson en jouissance pour qu'ils te rendent grâces ;

Mais à nous tu as donné une nourriture et un breuvage spirituel et la vie éternelle par ton serviteur.

[4] Avant tout, nous te rendons grâces, parce que tu es puissant.

Gloire à toi dans les siècles !

[5] Souviens-toi, Seigneur, de délivrer ton Église de tout mal,

Et de la rendre parfaite dans ton amour.

Rassemble-la des quatre vents, cette Église sanctifiée,

Dans ton royaume que tu lui as préparé,

Car à toi est la puissance et la gloire dans les siècles !

[6] Vienne la grâce et que ce monde passe !

« Hosanna au Dieu de David ! »

Si quelqu'un est saint, qu'il vienne !

Si quelqu'un ne l'est pas, qu'il fasse pénitence !

Maran Atha,

Amen.

[7] Laissez les prophètes rendre grâce autant qu'ils voudront.

CHAPITRE ONZE

Si quelqu'un vient à vous et vous enseigne tout ce qui vient d'être dit, recevez-le ; [2] mais si le prédicateur lui-même, étant perverti, enseigne une autre doctrine, et travaille à détruire, ne l'écoutez pas ; enseigne-t-il, au contraire, pour accroître la justice et la connaissance du Seigneur, recevez-le comme le Seigneur.

[3] À l'égard des apôtres et des prophètes, agissez selon le précepte de l'Évangile, de la manière suivante : [4] Que tout apôtre arrivant chez vous soit reçu comme le Seigneur ; [5] mais il ne restera qu'un seul jour, ou un deuxième en cas de besoin ; s'il reste trois jours, c'est un faux prophète. [6] À son départ que l'apôtre ne reçoive rien, sinon du pain pour gagner un gîte ; s'il demande de l'argent, c'est un faux prophète.

[7] Vous n'éprouverez et ne critiquerez aucun prophète qui parle en esprit : car « tout péché sera remis, mais ce péché-là ne le sera pas ». [8] Tout homme qui parle en esprit n'est pas

prophète, mais seulement s'il a les façons de vivre du Seigneur. C'est donc d'après leur conduite que l'on distinguera le faux prophète et le vrai prophète. [9] Ainsi tout prophète qui ordonne en esprit de dresser une table, s'abstient d'en manger, à moins qu'il ne soit un faux prophète ; [10] et tout prophète qui enseigne la vérité, mais sans faire ce qu'il enseigne, est un faux prophète ; [11] et tout prophète éprouvé, véridique, qui opère en vue du mystère terrestre de l'Église, mais qui n'instruit pas les autres à exécuter les choses qu'il fait lui-même, ne doit pas être jugé par vous : car c'est Dieu qui le jugera, et d'ailleurs les anciens prophètes ont agi de même. [12] Quiconque vous dit en esprit : Donnez-moi de l'argent ou quelqu'autre chose, vous ne l'écouterez pas ; mais s'il prie qu'on donne pour d'autres indigents, que nul ne le juge.

CHAPITRE DOUZE

Tout homme « qui vient au nom du Seigneur » doit être accueilli ; ensuite éprouvez-le pour le juger, car vous devez discerner la droite et la gauche. [2] Si le nouveau venu ne fait que passer, secourez-le de votre mieux ; mais il ne demeurera chez vous que deux ou trois jours, si c'est nécessaire ; [3] s'il veut s'établir chez vous, et qu'il soit artisan, qu'il travaille et qu'il se nourrisse ; [4] mais s'il n'a pas de métier, que votre prudence avise à ne pas laisser un chrétien vivre oisif parmi vous. [5] S'il ne veut pas agir ainsi, c'est un trafiquant du Christ ; gardez-vous des gens de cette sorte.

CHAPITRE TREIZE

Tout vrai prophète voulant s'établir chez vous « mérite sa nourriture » ; [2] pareillement le docteur véritable gagne lui aussi, comme « l'ouvrier, sa nourriture ». [3] Tu prendras donc, du pressoir et de l'aire, des bœufs et des brebis, les prémices de tous les produits, tu les donneras aux prophètes, car ils sont vos grands-prêtres ; [4] et si vous n'avez pas de prophète, vous donnerez aux pauvres. [5] Si tu fais du pain, prélève les prémices et donne-les selon le commandement. [6] De même, si tu ouvres une amphore de vin ou d'huile, prélèves-en les prémices et donne-les aux prophètes. [7] Sur ton argent, sur tes vêtements, sur toute sorte de richesse, prélève les prémices, selon ton appréciation, et donne-les selon le commandement.

CHAPITRE QUATORZE

Réunissez-vous le jour dominical du Seigneur, rompez le pain et rendez grâces, après avoir d'abord confessé vos péchés, afin que votre sacrifice soit pur. [2] Celui qui a un différend avec son compagnon ne doit pas se joindre à vous avant de s'être réconcilié, de peur de profaner votre sacrifice, [3] car voici ce qu'a dit le Seigneur : « Qu'en tout lieu et en tout temps, on m'offre un sacrifice pur ; car je suis un grand roi, dit le Seigneur, et mon nom est admirable parmi les nations ».

CHAPITRE QUINZE

Ainsi donc, élisez-vous des évêques et des diacres dignes du Seigneur, des hommes doux, désintéressés, véridiques et éprouvés ; car ils remplissent eux aussi, près de vous, le ministère des prophètes et des docteurs. [2] Donc ne les méprisez pas ; car ils sont les hommes honorés d'entre vous, avec les prophètes et les docteurs.

[3] Reprenez-vous les uns les autres, non avec colère, mais pacifiquement, comme vous le tenez de l'Évangile ; et si un homme offense son prochain, que personne ne converse avec lui, qu'il n'entende un mot de personne avant qu'il ait fait pénitence. [4] Pour vos prières, vos aumônes et toutes vos actions, faites-les comme vous le trouverez marqué dans l'Évangile de notre Seigneur.

CHAPITRE SEIZE

« V eillez » sur votre vie ; ne laissez ni « s'éteindre vos lampes » ni se détendre « la ceinture de vos reins » ; mais « soyez prêts car vous ignorez l'heure où notre Seigneur viendra ». [2] Assemblez-vous fréquemment pour rechercher ce qui intéresse vos âmes, car tout le temps de votre foi ne vous servira de rien, si au dernier moment vous n'êtes devenus parfaits. [3] Car aux derniers jours on verra se multiplier les faux prophètes et les corrupteurs, les brebis se changer en loups et l'amour en haine. [4] Avec les progrès de l'iniquité, les hommes se haïront, se poursuivront, se trahiront les uns les autres ; et alors paraîtra le Séducteur du monde, se donnant pour Fils de Dieu ; il fera « des signes et des prodiges », la terre sera livrée entre ses mains, et il commettra des iniquités telles qu'il n'en fut jamais commis depuis le commencement des siècles.

[5] Alors toute créature humaine entrera dans le feu de

l'épreuve : « beaucoup se scandaliseront » et périront ; « mais ceux qui auront persévéré » dans leur foi « seront sauvés » par Celui-là même qui aura été un objet de malédiction. [6] Alors « apparaîtront les signes » de la vérité : premier signe, les cieux ouverts ; deuxième signe, le son de la trompette ; troisième signe, la résurrection des morts ; [7] non de tous, il est vrai, mais, selon qu'il a été dit : « le Seigneur viendra et tous les saints avec lui ». [8] Alors le monde « verra » le Seigneur « venant sur les nuées du ciel ».

LETTRE DE BARNABÉ

CHAPITRE UN

Salut dans la paix, à vous fils et filles, au nom du Seigneur qui nous a aimés.

[2] Grandes et splendides sont les volontés du Seigneur à votre égard. Aussi je me réjouis plus que de toute autre chose et au delà de toute mesure de votre vie spirituelle, bienheureuse et illustre, tant est bien implantée la grâce du don spirituel que vous avez reçu. [3] Et je me félicite encore davantage dans l'espoir d'être sauvé, quand je vois en vérité chez vous l'esprit qui s'est déversé sur vous de l'abondance de la source du Seigneur, frappé que je suis d'admiration à votre vue si ardemment souhaitée. [4] Bien qu'ayant déjà conversé parmi vous, j'ai la persuasion, l'intime conscience de savoir encore beaucoup de choses, car le Seigneur m'a tenu compagnie dans le chemin de la justice ; et je me sens donc moi aussi tout à fait contraint de vous aimer plus que ma vie, parce qu'une grande foi et une grande charité demeurent en vous

fondées sur l'espérance de sa vie. [5] Aussi j'ai réfléchi à la récompense que j'aurai d'avoir assisté des âmes telles que les vôtres, si je prends soin de vous faire part de ce que j'ai reçu, et j'entreprends de vous écrire brièvement afin qu'avec la foi vous ayez une connaissance parfaite.

[6] Les maximes du Seigneur sont au nombre de trois :

> *L'espérance de la vie, commencement et fin de*
> *notre foi ;*
> *La justice, commencement et fin du jugement ;*
> *L'amour agissant dans la joie et dans*
> *l'allégresse, attestation de la justice.*

[7] Le Maître, en effet, par les prophètes, nous a révélé les choses passées et présentes et nous a donné un avant-goût des choses futures. Voyant donc celles-ci s'accomplir successivement, selon qu'il les a prédites, nous avons le devoir de nous avancer par une vie plus généreuse et plus élevée dans la crainte de Dieu. [8] Pour moi, ce n'est pas comme docteur, c'est comme l'un d'entre vous que je vous offrirai quelques menus enseignements capables de vous réjouir dans les circonstances présentes.

CHAPITRE DEUX

Puis donc que les jours sont mauvais et que l'actif ennemi possède la puissance, nous devons être attentifs à nous-mêmes et rechercher soigneusement les volontés du Seigneur. [2] Or notre foi a pour aides la crainte et la patience ; nos alliés sont la longanimité et la maîtrise de nous-mêmes. [3] Ces vertus demeurent-elles sans atteinte devant Dieu, elles s'accompagnent joyeusement de la sagesse, de la compréhension, de la science, de la connaissance.

[4] Il nous a formellement avisés par tous les prophètes qu'il n'a besoin ni de sacrifices, ni d'holocaustes, ni d'offrandes. Il dit dans un endroit :

[5] « Que m'importe la multitude de vos sacrifices ? dit le Seigneur.

Je suis rassasié des holocaustes ;

Je ne veux ni de la graisse des agneaux,

Ni du sang des taureaux et des boucs,

Pas même quand vous comparaissez devant moi.

Qui donc a réclamé ces dons, de vos mains?

Ne foulez plus mon parvis.

Si vous m'offrez de la fleur de farine, c'est en vain.

L'encens m'est en horreur.

Je ne supporte pas vos néoménies et vos sabbats. »

[6] Il a donc abrogé tout cela afin que la loi nouvelle de Notre Seigneur Jésus-Christ, exempte du joug de la nécessité, n'ait pas une offrande qui soit faite par les hommes. [7] Il leur dit encore :

« Est-ce donc que j'ai prescrit à vos pères

À leur sortie d'Égypte

De m'offrir des holocaustes et des sacrifices !

[8] Ne leur ai-je pas prescrit plutôt ceci :

Que chacun de vous ne médite point en son cœur de mal

contre son prochain et n'aimez point le faux serment. »

[9] Si nous ne sommes pas dépourvus d'intelligence, nous devons comprendre le dessein de bonté de notre Père : s'il nous parle, c'est qu'il veut que sans nous égarer comme ceux-là (les Juifs) nous cherchions le moyen de nous approcher de lui. [10] À nous il parle donc ainsi :

« Le sacrifice pour le Seigneur, c'est un cœur brisé,

Le parfum de bonne odeur pour le Seigneur,

C'est un cœur qui glorifie celui qui l'a façonné. »

Nous devons donc, mes frères, donner un soin minutieux à notre salut, de peur que le Malin n'insinue furtivement l'erreur en nous et comme avec une fronde ne nous lance loin de notre vie (du salut).

CHAPITRE TROIS

Il leur dit également à ce sujet :

« Dans quel dessein jeûnez-vous, dit le Seigneur,

De telle sorte que de votre voix aujourd'hui l'on n'entend que des cris ?

Ce n'est pas un jeûne de cette sorte que je m'étais choisi, dit le Seigneur.

Ni un homme qui abaisse son âme.

[2] Quand vous recourberiez le cou comme un anneau,

Quand vous revêtiriez un sac et étendriez un lit de cendre,

N'appelez pas encore ce jeûne un jeûne agréé. »

[3] Quant à nous, il nous dit :

« Voici le jeûne que je me suis choisi, dit le Seigneur :

Détache toutes les chaînes injustes,

Défais les mailles des contrats imposés par violence,

Renvoie libres les opprimés

Et déchire toute convention inique.

Distribue ton pain à ceux qui ont faim,

Habille ceux que tu vois nus.

Conduis dans ta maison ceux qui sont sans toit.

Si tu vois un misérable ne le regarde pas de ton haut,

Et ne détourne pas les yeux des parents de ta race.

[4] Alors ta lumière jaillira précoce aurore,

Aussitôt tes vêtements resplendiront.

La justice marchera devant toi,

Et la gloire de Dieu t'environnera.

[5] Alors tu pousseras des cris et Dieu t'exaucera,

Tu parleras encore, qu'il dira : Me voici !

Pourvu que tu renonces aux chaînes,

Aux mains levées (pour le faux témoignage ou la moquerie),

Aux paroles de murmure,

Que tu donnes de bon cœur ton pain à l'affamé

Et que tu prennes en pitié l'âme humiliée. »

[6] Ô mes frères, notre Dieu longanime a donc pourvu à ce que le peuple qu'il a préparé par son Bien-aimé, eût une foi sans mélange ; il nous a prévenus de toutes choses, de crainte qu'étrangers affiliés à leur loi, nous n'allions nous briser contre.

CHAPITRE QUATRE

Examinant donc soigneusement les circonstances présentes il nous faut rechercher ce qui est capable de nous sauver (de ce péril). Fuyons absolument les œuvres iniques de peur qu'elles ne se saisissent de nous ; haïssons l'erreur du temps présent afin d'être aimés (sauvés) dans le temps à venir. [2] Ne donnons point à nos âmes congé de courir en compagnie de pécheurs et de méchants de peur de devenir semblables à eux. [3] Il s'est approché le grand scandale dont Hénoch dit qu'il a été écrit. Le Maître a réduit les temps et les jours afin que son Bien-aimé se hâtât et vînt dans son héritage. [4] Le prophète aussi s'exprime ainsi : « Dix royaumes régneront sur la terre ; ensuite surgira un petit roi qui abaissera à la fois trois des rois ». [5] Daniel dit également à ce sujet : « Je vis la quatrième bête, méchante, forte, plus dangereuse que toutes les bêtes de la mer ; il lui poussa dix cornes et de leur pied sortit une petite corne qui abaissa d'un coup trois des grandes cornes » [6]. Vous devez donc comprendre.

Je vous en supplie encore une fois, moi qui suis l'un d'entre vous et qui vous aime tous, d'un amour particulier, plus que ma vie : faites attention à vous-mêmes, ne ressemblez pas à certaines gens en accumulant péché sur péché et répétant que le Testament est à la fois leur bien et le nôtre. [7] Il est nôtre à la vérité ; mais eux, ils ont perdu pour jamais le testament reçu autrefois par Moïse. L'Écriture dit en effet : « Et Moïse persista dans le jeûne sur la montagne pendant quarante jours et quarante nuits et il reçut du Seigneur le Testament, les tables de pierre écrites avec le doigt de la main du Seigneur ». [8] Ce testament, ils l'ont perdu pour s'être tournés vers les idoles ; car voici ce que dit le Seigneur : « Moïse, Moïse, descends bien vite, car ton peuple a péché, ton peuple que tu as tiré de la terre d'Égypte ». Moïse s'en rendit compte et jeta de ses mains les deux tables et leur testament se brisa afin que celui du bien-aimé Jésus fût scellé dans nos cœurs par l'espérance de la foi en lui. [9] Ayant dessein de vous écrire bien des choses, non en docteur mais comme il sied à un homme qui vous aime et n'entend rien laisser perdre de ce que nous possédons, moi votre pauvre serviteur je me suis appliqué à écrire. Prêtons donc attention aux derniers jours, car tout le temps de notre vie et de notre foi ne nous servira de rien si, maintenant dans le temps d'iniquité et au milieu des scandales à venir, nous ne résistons pas comme il convient à des fils de Dieu. [10] De peur que le Noir ne se glisse furtivement chez nous, fuyons toute vanité, haïssons à fond les œuvres de la mauvaise voie ; ne vivez point isolés, retirés en vous-mêmes, comme si vous étiez déjà justifiés, mais rassemblez-vous pour rechercher ensemble ce qui est de l'intérêt commun. [11] Car l'Écriture dit :

« Malheur à ceux qui sont intelligents à leur propre sens
    Et sages à leurs propres yeux ! »

Devenons des hommes spirituels, devenons un temple achevé pour Dieu. Autant qu'il est en nous, « exerçons-nous à la crainte » de Dieu, luttons pour garder les commandements afin d'être réjouis dans ses volontés saintes. [12] Le Seigneur jugera le monde « sans acception de personne ». Chacun recevra selon ses œuvres : l'homme de bien sera précédé de sa justice, le méchant aura devant lui le salaire de son iniquité. [13] Ne nous abandonnons jamais au repos sous prétexte que nous sommes appelés, au risque de nous endormir dans nos péchés et de voir le mauvais prince prendre autorité sur nous et nous repousser du royaume du Seigneur. [14] Encore une chose à considérer, mes frères, lorsqu'après de tels signes et de tels prodiges accomplis chez Israël, vous le voyez néanmoins abandonné, prenons garde qu'il ne se trouve chez nous aussi, suivant l'expression de l'Écriture, « beaucoup d'appelés mais peu d'élus ».

CHAPITRE CINQ

L e Seigneur a enduré que sa chair fût livrée à la destruction ; c'était en vue de nous purifier par la rémission des péchés laquelle s'opère par l'aspersion de son sang. [2] L'Écriture parle de lui à ce sujet, en partie pour Israël, en partie pour nous, et s'exprime ainsi :

« Il a été blessé à cause de nos iniquités,
    Il a été brutalisé à cause de nos péchés ;
    Nous avons été guéris par sa meurtrissure ;
    On l'a conduit comme une brebis à l'égorgement,
    Et comme un agneau sans voix devant le tondeur ».

[3] Nous devons donc exprimer au Seigneur notre extrême reconnaissance de ce qu'il nous a fait connaître le passé, expliqué le présent, donné une certaine intelligence de l'avenir. [4] Or l'Écriture porte que « ce n'est pas à tort qu'on tend

les filets pour les oiseaux », ce qui veut dire que l'on mérite de périr lorsqu'ayant connaissance du chemin de la justice, on se tient dans le chemin des ténèbres.

[5] Autre chose encore, mes frères : si le Seigneur a enduré de souffrir pour nos âmes, quoiqu'il fût le Seigneur de l'univers, à qui Dieu a dit dès la fondation du monde : « Faisons l'homme à notre image et ressemblance », comment du moins a-t-il enduré de souffrir par la main des hommes ? Apprenez-le : [6] les prophètes, par une grâce qu'ils tenaient de lui, ont émis des prophéties à son sujet. Or comme il fallait qu'il se manifestât dans la chair pour abolir la mort et prouver la résurrection d'entre les morts, il a enduré de souffrir ainsi [7] afin d'acquitter la promesse faite à nos pères, afin de se préparer pour lui-même le peuple nouveau, et de montrer dès le temps de son séjour sur la terre que c'est lui qui opère la résurrection des morts, lui qui procèdera au jugement. — [8] Enfin, tandis qu'il instruisait Israël et accomplissait des miracles et des signes si prodigieux, il prêcha et lui témoigna un amour sans mesure ; [9] puis il choisit pour ses apôtres, pour les futurs prédicateurs de son évangile, des hommes coupables des pires péchés, afin de montrer qu' « il n'est point venu appeler les justes, mais les pécheurs », il fit bien connaître alors qu'il était le fils de Dieu. — [10] S'il n'était pas venu dans la chair, comment les hommes fussent-ils demeurés sains et saufs à sa vue, puisqu'en face du soleil qui s'achemine au néant et qui est l'ouvrage de ses mains, ils ne peuvent lever les yeux et en fixer les rayons. — [11] Si le fils de Dieu est venu dans la chair, c'est donc pour mettre le comble aux péchés de ceux qui

ont poursuivi ses prophètes à mort. [12] Voilà donc pourquoi il a enduré de souffrir. Dieu dit en effet que la plaie de sa chair, c'est d'eux qu'elle lui vient : « Lorsqu'ils auront frappé leur berger, les brebis du troupeau périront ». — [13] Mais c'est lui qui a résolu de souffrir en la manière (que l'on sait), car il fallait qu'il souffrît sur le bois ; le prophète en effet dit à son endroit : « Épargne mon âme avec l'épée », et : « perce de clous mes chairs, car des troupes de coquins se sont dressées contre moi », [14] et ailleurs encore :

> « Vois, j'ai présenté mon dos aux fouets
>> Et mes joues aux soufflets ;
>> J'ai raidi mon visage comme une pierre dure ».

CHAPITRE SIX

Sur le temps où il aura accompli son mandat, que dit-il ?

« Quel est celui qui veut disputer en justice contre moi ?

Qu'il se place en face de moi !

Ou qui veut se faire rendre justice devant moi ?

Qu'il s'approche du serviteur du Seigneur !

[2] Malheur à vous ! car vous tomberez tous de vétusté comme un vêtement

Et la teigne vous dévorera ».

Une autre fois, le prophète parle du temps où il aura été placé comme une solide pierre à broyer :

« Voici, je placerai dans les assises fondamentales de Sion une pierre

Coûteuse, choisie, en bloc d'angle, et de grand prix ».

[3] Ensuite que dit-il ?

« Et quiconque croira en lui vivra éternellement ».

Est-ce donc une pierre qui fait notre espérance ? À Dieu ne plaise ; mais c'est que le Seigneur a raidi sa chair :

« Je me suis tenu, dit-il, comme le roc dur ».

[4] Ailleurs le prophète dit :

« La pierre que les maçons ont rejetée à l'essai
    Est devenue la pierre du sommet d'angle »,

et ailleurs encore : « Voici la grande et admirable journée que le Seigneur a faite ! » [5] Je vous écris tout simplement, moi, l'humble serviteur de votre charité, afin que vous compreniez. [6] Que dit encore le prophète ?

« Une troupe de scélérats m'a environné ;
    Ils m'ont entouré comme les abeilles un rayon de miel »,

et : « Ils ont tiré mes vêtements au sort ». [7] Ainsi donc, comme il devait se révéler et souffrir dans la chair, sa souffrance a été prédite d'avance. Le prophète en effet dit au sujet d'Israël :

« Malheur à leur âme !
  Car c'est un mauvais dessein contre eux-mêmes qu'ils ont formé
  Lorsqu'ils se sont dit : Lions le juste
  Car il nous est un embarras ».

[8] Qu'est-ce que leur dit Moïse, un autre prophète ? « Voici ce que prononce le Seigneur Dieu : Entrez dans la terre excellente que le Seigneur a promise par serment à Abraham, Isaac et Jacob ; prenez possession comme d'un héritage de cette terre où coulent le lait et le miel ». [9] Mais apprenez ce que dit à ce propos la connaissance de gnose : Espérez, dit-elle, en Jésus qui doit se révéler à vous dans la chair. Or l'homme (qui est de chair) est une terre capable de souffrance, puisque Adam fut modelé avec de la terre. [10] Mais alors pourquoi dit-il : « Dans une terre excellente, une terre ruisselante de lait et de miel ? » — Ô mes frères ! béni soit notre Seigneur qui a mis en nous la sagesse et l'intelligence de ses secrets. Le prophète en effet désigne allégoriquement le Seigneur. Qui le comprendra sinon celui qui est sage, instruit et qui aime son Seigneur ? [11] En nous renouvelant par la rémission des péchés, il nous a mis une autre empreinte, au point d'avoir l'âme de petits enfants, justement comme s'il nous créait à nouveau ; [12] car c'est de nous que parle l'Écriture lorsque (Dieu) dit au Fils : « Faisons l'homme à notre

image et ressemblance, et qu'il commande aux bêtes de la terre et aux oiseaux du ciel et aux poissons de la mer ! » Et ayant vu le chef-d'œuvre que nous étions, le Seigneur ajouta : « Croissez, multipliez-vous et remplissez la terre ! » Ces paroles furent adressées au Fils ; [13] mais je te montrerai aussi comment, fidèle à sa parole envers nous, il (le Christ ?) a fait dans les derniers temps une deuxième création. Le Seigneur dit en effet : « Voici que je fais les dernières choses telles que les premières » ; et c'est à quoi se réfère l'oracle du prophète : « Entrez dans la terre où coulent le lait et le miel et dominez-la ». [14] Or remarquez-le, nous avons été créés à nouveau, selon qu'il est marqué dans un autre prophète : « Voici, dit le Seigneur, qu'à ceux-là », c'est-à-dire ceux que l'Esprit du Seigneur voyait d'avance, « j'arracherai leurs cœurs de pierre et en mettrai à la place, de chair », lui-même devant se manifester dans la chair et habiter en nous. [15] Mes frères, l'habitation de nos cœurs est un temple saint pour le Seigneur, [16] car il s'exprime encore ainsi : « Où me présenterai-je devant le Seigneur mon Dieu et serai-je glorifié ? » — Et il répond :

« Je te confesserai dans l'assemblée de mes frères
    Et je te chanterai au milieu de l'assemblée des saints ».

C'est donc bien nous qu'il a introduits dans une terre excellente. [17] Mais pourquoi le lait et le miel ? C'est que l'enfant est d'abord nourri de miel puis de lait ; nous étant donc nourris de même par la foi à la promesse et par la prédication, nous vivrons en dominant la terre. [18] Précédemment (le Seigneur) avait prophétisé : « Qu'ils croissent et se multiplient et commandent aux poissons ». Or qui donc présentement peut commander aux bêtes, aux poissons, aux oiseaux du ciel ? Nous devons remarquer que commander c'est avoir la puissance en donnant un ordre de faire prévaloir son autorité. [9] Si tel n'est pas le cas maintenant, il nous a été dit quand il se réaliserait : c'est lorsque nous-mêmes serons devenus assez parfaits pour entrer en possession de l'héritage du testament du Seigneur.

CHAPITRE SEPT

Mettez-vous donc dans l'esprit, enfants de l'allégresse, que le bon Seigneur nous a tout révélé d'avance afin qu'en toute circonstance nous sachions à qui nous sommes débiteurs de nos actions de grâces et de nos louanges. [2] Si le Fils de Dieu, quoique Seigneur et « juge futur des vivants et des morts » a souffert afin de nous faire vivre de ses blessures, croyons aussi que le Fils de Dieu ne pouvait souffrir qu'à cause de nous.

[3] Mais, sur la croix, « il fut abreuvé de vinaigre et de fiel ». Or apprenez comment cela avait été indiqué d'avance par les prêtres du temple. Le Seigneur avait porté ce précepte dans l'Écriture : « Celui qui ne jeûnera pas au jour du jeûne sera mis à mort », parce qu'il devait offrir en sacrifice pour nos péchés le vase renfermant son esprit (son corps) afin que fût accompli l'évènement figuré en Isaac offert sur un autel. [4] Or, que dit-il chez le prophète ? — « Qu'ils mangent du

bouc offert au jour du jeûne pour tous les péchés. » Et, — remarquez bien ceci, — « que tous les prêtres et les seuls prêtres mangent les viscères non lavés, et du vinaigre. » [5] Pourquoi cela ? — Parce que vous « m'abreuverez de fiel et de vinaigre », moi qui vais offrir en sacrifice ma chair pour les péchés de mon nouveau peuple, vous seuls en mangerez, tandis que le peuple jeûnera et se frappera la poitrine dans le sac et la cendre ; et pour montrer qu'il faut qu'il souffre par eux, [6] remarquez les préceptes qu'il a donnés : « Prenez deux boucs, beaux et semblables entre eux, puis offrez-les et que le prêtre en prenne un pour le brûler en holocauste à cause des péchés. » [7] Que faire de l'autre bouc ? — « Que celui-là, dit-il, soit maudit. » Or remarquez comment Jésus est manifesté ici en figure : [8] « Crachez tous sur lui, percez-le de piqûres, coiffez-le d'une laine rouge écarlate, et dans cet état qu'il soit chassé au désert. » Quand tout cela est exécuté, celui qui emporte le bouc le mène vers le désert, lui enlève la laine qu'il met sur un buisson de ronces. Nous en mangeons les baies à la rencontre dans la campagne, il n'y a que les fruits des ronces pour être si doux. [9] Faites maintenant attention à ce que signifie ceci : « un bouc pour l'autel des sacrifices, un bouc voué à la malédiction », et pour quelle raison celui-ci est couronné. C'est qu'un jour ils le verront (Jésus), avec sa chair couverte du vêtement écarlate, et ils diront : N'est-ce pas celui que nous avons autrefois outragé, couvert de coups et de crachats, et enfin crucifié. En vérité, c'est celui-ci qui affirmait qu'il était le fils de Dieu. [10] Mais pourquoi un bouc doit-il être semblable à l'autre ? « Les boucs doivent être semblables et beaux et de même taille, afin que le jour où ils le verront (Jésus) revenir, ils soient frappés de stupeur à cause de la ressemblance (comme dans le cas) du bouc. Tu vois donc ici la figure de Jésus qui devait souffrir. [11] Mais pourquoi la laine est-elle déposée au milieu des épines ? — C'est une figure de Jésus, proposée pour l'Église. Quiconque veut enlever la laine écarlate, doit se donner bien des peines, à cause des épines dangereuses, et il ne s'en rend maître qu'au prix d'efforts pénibles. Ainsi, dit-il, ceux qui prétendent me voir et atteindre mon royaume, doivent m'obtenir par l'affliction et les souffrances.

CHAPITRE HUIT

Quelle figure pensez-vous qu'il y ait dans le commandement fait à Israël : que les hommes coupables de grands péchés offrent une génisse, l'égorgent et la brûlent ; qu'ensuite de jeunes enfants, ramassant la cendre, la versent dans des vases, qu'ils enroulent autour d'un bois de la laine écarlate (voici de nouveau une figure de la croix et la laine écarlate) et de l'hysope ; qu'enfin ces jeunes enfants aspergent le peuple, tous les gens un par un, afin de les purifier de leurs péchés ? [2] Reconnaissez avec quelle simplicité il nous parle. La génisse représente Jésus ; les hommes pécheurs qui l'offrent, ceux qui ont présenté Jésus à la tuerie. [Après cela, finis, ces hommes ! finie, la gloire des pécheurs].

[3] Les jeunes gens qui aspergent sont les hérauts de bonne nouvelle qui nous ont annoncé la rémission des péchés et la purification du cœur. À eux fut confiée la pleine autorité de

l'évangile en vue de la prédication ; et ils sont douze en souvenir des douze tribus d'Israël. [4] Et pourquoi trois jeunes gens employés à l'aspersion ? — C'est en l'honneur d'Abraham, d'Isaac et de Jacob, tous trois grands devant Dieu. [5] Pourquoi poser la laine sur le bois ? — Parce que la royauté de Jésus repose sur le bois (la croix) et que ceux qui espèrent en lui vivront à jamais. [6] Et pourquoi de l'hysope en même temps que la laine ? — C'est qu'il y aura dans son royaume des jours mauvais, des jours troubles durant lesquels nous serons sauvés comme le malade guérit sa chair souffrante au moyen du jus gluant extrait de l'hysope.

[7] C'est ainsi que les événements ont un sens si clair pour nous, si obscur pour les autres qui n'ont pas écouté la voix du Seigneur.

CHAPITRE NEUF

C ar c'est de nos propres oreilles qu'il veut parler, quand il dit ailleurs qu'il a circoncis nos cœurs. Le Seigneur dit dans le prophète : « En entendant de leurs oreilles, ils ont obéi » ; et ailleurs : « Ceux qui sont éloignés apprendront par ouï-dire et connaîtront ce que j'ai fait » ; le Seigneur dit aussi : « Circoncisez vos cœurs » ; [2] et ailleurs : « Écoute, Israël ! voici ce que dit le Seigneur ton Dieu. » Ailleurs l'esprit du Seigneur prophétise : « Quelqu'un veut-il vivre à jamais, qu'il écoute la voix de mon serviteur ! » [3] Il dit encore :

« Ô ciel ! écoute ; terre, prête l'oreille ;
  Car le Seigneur a dit ces choses pour les attester. »

Ailleurs aussi : « Écoutez la parole du Seigneur, princes de ce peuple » ou bien : « Écoutez, enfants, la voix qui crie dans le désert. » Ainsi donc il a circoncis notre ouïe afin que nous entendions sa parole et que nous croyions. [4] Mais quant à la circoncision, en laquelle ils se reposaient avec confiance, elle a été abrogée, car il avait déclaré que ce n'est point la chair qu'ils devaient circoncire ; mais ils passèrent outre, trompés qu'ils étaient par un mauvais ange. [5] Dieu leur dit : « Voici ce que dit le Seigneur votre Dieu » — et c'est ici que je trouve le précepte — « Ne semez pas sur les épines, soyez circoncis pour votre Seigneur. » Et que dit-il encore ? « Tranchez dans la dureté de votre cœur et ne raidissez point votre nuque. » Ajoutez encore cette parole : « Voici, dit le Seigneur, que toutes les nations sont incirconcises du prépuce, mais ce peuple est incirconcis du cœur. » [6] Vous direz peut-être que l'on circoncisait ce peuple pour mettre le sceau (à l'alliance divine). — Mais tous les Syriens, tous les Arabes, tous les prêtres des idoles sont également circoncis. Est-ce donc qu'ils appartiennent aussi à l'alliance ? Mais les Égyptiens eux-mêmes pratiquent la circoncision. [7] Sur toutes ces choses, ô enfants de la charité, recevez une instruction profonde, savoir : qu'Abraham, qui le premier pratiqua la circoncision, l'accomplit ayant en esprit les regards sur Jésus : car il avait reçu l'enseignement contenu en trois lettres. [8] L'Écriture dit en effet : « Abraham circoncit des hommes de sa maison au nombre de dix-huit et trois cents. » Quelle connaissance mystérieuse lui fut-il donc communiquée ? Remarquez que l'on nomme d'abord les « dix-huit », puis après un intervalle les « trois cents. » Dix-huit s'écrit par un *iota* qui vaut dix et un *êta* qui vaut huit ; vous avez là Jésus IH(ΣΟΥΣ). Et comme la croix en forme de T devait signifier la grâce, on ajoute encore « et trois cents » (= T). Les deux lettres réunies nous désignent Jésus ; la croix nous est montrée dans une lettre unique. [9] Celui qui a implanté en nous le don de sa doctrine le sait bien, que personne n'a entendu de moi instruction de meilleur aloi ; mais je sais que vous en êtes dignes.

CHAPITRE DIX

Si Moïse a dit : « Vous ne mangerez ni porc, ni aigle, ni épervier, ni corbeau, ni poisson sans écailles », c'est que son intelligence avait perçu un triple enseignement. [2] Cependant le Seigneur dit (aux Juifs) dans le Deutéronome : « Et j'exposerai mes volontés devant ce peuple. » Ce n'est donc pas un commandement de Dieu de ne pas manger, mais Moïse a parlé en esprit : [3] d'abord du porc au sens que voici : Tu n'auras point de liaison avec les hommes qui ressemblent aux porcs, c'est-à-dire qui oublient le Seigneur quand ils vivent dans les délices et se souviennent de lui dans le besoin, comme fait le porc qui, lorsqu'il dévore, ne connaît pas son maître, mais qui grogne dès qu'il a faim et se tait de nouveau après avoir reçu sa nourriture. [4] « Tu ne mangeras non plus ni aigle, ni épervier, ni milan, ni corbeau », c'est-à-dire : tu n'auras ni attache ni ressemblance avec les hommes qui ne savent pas gagner leur nourriture par le travail et la sueur, mais qui dans leur iniquité s'emparent du bien d'autrui ; tandis qu'ils ont l'air de se promener innocemment, ils sont aux aguets, épient autour d'eux quelle proie leur convoitise va dépouiller ; pareils à ces oiseaux qui, seuls entre tous, au lieu de se procurer leur nourriture, restent perchés à ne rien faire et cherchent à manger les autres, vrai fléau par leur méchanceté. [5] « Tu ne mangeras pas non plus de murène, dit-il, ni de polype, ni de sèche », c'est-à-dire : tu n'auras ni ressemblance ni liaison avec les hommes qui poussent l'impiété à l'extrême, et sont déjà maintenant condamnés à la mort, pareils à ces poissons, les seuls à être maudits, qui nagent dans les profondeurs sans plonger comme les autres, mais vivent en bas sur le fond de l'abîme. [6] « Tu ne mangeras pas non plus de lièvre. » Pour quel motif ? Cela signifie : tu ne seras pas un corrupteur d'enfants ni rien de pareil, car le lièvre acquiert chaque année un anus de plus ; autant il vit d'années, autant il a d'ouvertures. [7] « Tu ne mangeras pas non plus de la hyène », c'est-à-dire : tu ne seras ni adultère, ni séducteur, ni rien de pareil. Pour quelle raison ? C'est que cet animal change de sexe tous les ans : il est tour à tour mâle et femelle. [8] Moïse a également poursuivi la « belette » d'une haine méritée. Garde-toi, veut-il dire, de ressembler à ceux qui, dit-on, commettent de leur bouche impure l'iniquité, évite toute liaison avec les femmes impudiques qui commettent le crime avec leur bouche. Tel cet animal qui conçoit par la gueule. [9] Ainsi Moïse, ayant reçu un triple enseignement au sujet des aliments, a parlé au sens spirituel ; mais eux (les Juifs) ont reçu ses paroles, selon le désir de la chair, comme s'il s'agissait de la nourriture.

[10] David, lui, a l'intelligence vraie des trois mêmes enseignements, et il parle de même sorte : « Heureux l'homme qui n'a point marché d'après le conseil des impies » comme les poissons qui circulent parmi les ténèbres à travers les profondeurs ; « qui ne s'est pas tenu sur le chemin des pécheurs » à la façon de ceux qui craignent Dieu en apparence et pèchent comme des porcs ; enfin « qui ne s'est pas assis dans la chaire de pestilence » comme les oiseaux perchés pour exercer leur rapine. Vous voilà pleinement instruits aussi de ce qui concerne la nourriture. [11] Moïse dit encore : « Vous mangerez du ruminant qui a le pied fourchu. » Pourquoi parle-t-il ainsi ? Parce que cet animal, quand il prend sa nourriture, connaît celui qui le nourrit et semble se plaire avec lui au moment où il se repose. Au regard du précepte, il s'est exprimé ingénieusement. Que prescrit-il donc ? Attachez-vous à ceux qui craignent le Seigneur, qui réfléchissent en leur cœur sur la portée exacte de la doctrine reçue, qui s'entretiennent des volontés du Seigneur et qui les observent, qui savent que la réflexion est œuvre de joie et qui ruminent la parole du Seigneur. Mais pourquoi parler du pied fourchu ? C'est que le juste sait à la fois marcher en ce monde et attendre la sainte éternité. Voyez quel sage législateur a été Moïse. [12] Mais d'où serait venue aux Juifs la pénétration ou la compréhension de ces choses ? Pour nous, ayant compris le vrai sens des commandements, nous les exprimons tels que les a voulus le

Seigneur ; c'est précisément pour que nous en ayons l'intelligence qu'il nous a circoncis les cœurs et les oreilles.

CHAPITRE ONZE

Recherchons maintenant si le Seigneur a pris soin de dévoiler à l'avance et l'eau et la croix. À l'égard de l'eau, il est écrit à l'adresse d'Israël que les Juifs ne recevraient point le baptême qui procure la rémission des péchés, mais se fabriqueraient à eux-mêmes un moyen d'édification. [2] Le prophète dit en effet :

« Ciel, sois dans la stupeur !
   Terre, frémis d'horreur plus encore !
   Car ce peuple a commis double crime :
   Ils m'ont abandonné,
   Moi, la source de la vie.
   À eux-mêmes ils se sont creusé
   Une citerne qui donne la mort.
   [3] Est-elle une roche stérile,
   Sion ma montagne sainte ?

Vous serez comme les petits d'un oiseau,

Voletant, arrachés du nid. »

[4] Et le prophète dit encore :

« C'est moi qui marcherai devant toi ;

J'aplanirai les montagnes,

Je briserai les portes d'airain,

Je fracturerai les verrous de fer,

Et je te donnerai les trésors secrets,

Cachés, invisibles

Afin qu'ils sachent que moi, je suis le Seigneur Dieu ».

[5] Et encore :

« Tu habiteras dans la caverne élevée

D'une roche fortifiée

Où l'eau ne manque jamais.

Vous contemplerez le roi avec sa gloire,

Et votre âme réfléchira sur la crainte du Seigneur ».

[6] Et dans un autre prophète il dit encore :

« Et celui qui fait ces choses

Sera comme l'arbre planté sur un cours d'eau,

Qui donne son fruit en la saison,

Et dont les feuilles ne tombent point.

Toutes ses entreprises réussiront.

[7] Il n'en va pas ainsi des impies ; il n'en va pas ainsi,

Mais plutôt comme du flocon

Que le vent balaye de dessus terre.

Aussi les impies ne tiendront pas debout au jugement,

Ni les pécheurs dans le conseil des justes ;

Car le Seigneur connaît le chemin des justes

Et le chemin des impies sera détruit. »

[8] Remarquez comme il décrit en même temps l'eau et la croix, car voici ce qu'il veut dire. Heureux ceux qui ayant espéré en la croix sont descendus dans l'eau ! La récompense, il l'indique par ces mots : « en la saison » ; alors, déclare-t-il, je m'acquitterai en retour. Et pour le temps présent, ces autres mots : « les feuilles ne tomberont pas », signifient que toute parole sortie de votre bouche dans la foi et la charité amènera un grand nombre d'hommes à la conversion et à l'espérance. [9] Un autre prophète dit de son côté : « Le pays de Jacob était loué plus que tout autre. » Cela signifie que Dieu glorifie le vase renfermant son Esprit. [10] Qu'est-il dit ensuite ? « Il y avait un fleuve coulant à droite, duquel montaient des arbres gracieux ; quiconque en mange vivra éternellement ; » [11] c'est-à-dire : nous descendons dans l'eau remplis de péchés et de souillures ; mais nous en sortons chargés de fruits, ayant dans le cœur la crainte et dans l'esprit l'espérance en Jésus. « Quiconque mangera de ces arbres vivra éternellement » signifie : Quiconque écoute et croit les choses ainsi annoncées vivra éternellement.

CHAPITRE DOUZE

Il décrit encore de même la croix, en disant par un autre prophète : « Quand ces choses s'accompliront-elles ? Lorsque le bois, dit le Seigneur, aura été étendu par terre puis redressé et que du bois le sang tombera goutte à goutte », paroles qui se rapportent à la croix et à celui qui devait y être attaché. [2] Dieu parla encore à Moïse lorsque les Israélites furent attaqués par des étrangers afin que cette guerre même leur rappelât qu'ils étaient voués à la mort à cause de leurs péchés. L'Esprit parle alors au cœur de Moïse lui inspirant d'exécuter une figure de la croix, et de Celui qui devait y souffrir. C'était dire qu'à moins d'espérer en Lui, ils seraient à jamais en état de guerre. Moïse entassa donc boucliers sur boucliers au milieu du combat, et se plaçant au sommet plus haut que tous les autres, il étendit les mains, et ainsi les Israélites reprirent l'avantage ; mais ensuite chaque fois qu'il les laissait tomber, les Israélites succombaient. [3]

Pourquoi cela ? Afin de leur faire reconnaître qu'il n'y avait point de salut pour eux s'ils n'espéraient en Lui. [4] Il est encore dit dans un autre prophète : « Tout le jour j'ai étendu les mains vers ce peuple indocile et rétif à mes justes voies. » [5] Une autre fois qu'Israël succombait, Moïse fait une figure de Jésus, afin de montrer qu'il devait souffrir, et qu'il donne la vie, lui que l'on devait penser avoir péri sur la croix. Pour les convaincre qu'ils étaient livrés aux angoisses de la mort à cause de leurs péchés, le Seigneur les fit mordre par toute sorte de serpent, et ils mouraient (car c'est par le serpent que la désobéissance eut lieu chez Ève). [6] À la fin, Moïse, bien qu'il eût publié ce précepte : « Vous n'aurez point d'image en métal fondu, point d'image gravée pour votre Dieu », Moïse lui-même agit à l'encontre afin de montrer une figure de Jésus. Il fabrique donc un serpent d'airain, l'érige solennellement et fait convoquer le peuple par un héraut. [7] Étant donc tous réunis, ils pressaient Moïse d'adresser une prière pour leur guérison. Alors Moïse leur dit : « Lorsque quelqu'un d'entre vous sera mordu, qu'il vienne vers le serpent élevé sur le bois et qu'il s'abandonne à l'espérance, croyant que celui-ci, même sans vie, peut néanmoins le faire vivre, et sur-le-champ il sera sauvé ». Ainsi firent-ils. Ici encore paraît la gloire de Jésus, savoir : que toutes choses sont en lui et à lui. [8] Et que dit Moïse à Jésus fils de Navé, après lui avoir imposé, comme à un prophète, le nom de Jésus uniquement pour faire comprendre au peuple que le Père révèle toutes choses de son fils Jésus ? [9] Après lui avoir donné ce nom, en l'envoyant explorer le pays, Moïse dit à Jésus, fils de Navé : « Prends un livre dans tes mains et écris ce que dit le Seigneur, savoir : que, dans les derniers jours, le Fils de Dieu détruira jusqu'à la racine toute la maison d'Amalec ». [10] Voilà encore une fois Jésus montré dans un précurseur de chair, non pas comme Fils de l'homme, mais comme Fils de Dieu. Mais comme on devait dire un jour que le Christ est fils de David, David lui-même, redoutant et prévoyant l'erreur de ces pécheurs, s'écrie prophétiquement :

« Le Seigneur a dit à mon Seigneur :
    Assieds-toi à ma droite,
    Jusqu'à ce que je fasse de tes ennemis l'escabeau de tes
pieds. »

[11] Et de même Isaïe :

« Le Seigneur a dit au Christ mon Seigneur,
    Que j'ai pris par la main droite :
    Que les nations lui obéissent,
    Et (pour lui) je briserai la puissance des rois... »

Voilà comment David lui donne le nom de Seigneur et non pas de fils.

CHAPITRE TREIZE

Voyons maintenant lequel est l'héritier, notre peuple actuel ou le précédent, et si le testament se rapporte à nous ou bien à eux. [2] Écoutez donc ce que l'Écriture dit au sujet du peuple : « Isaac priait pour Rébecca sa femme qui était stérile, et celle-ci conçut. » Ensuite : « Rébecca sortit pour interroger le Seigneur, et le Seigneur lui dit : Deux nations sont dans ton sein et deux peuples dans tes entrailles : un peuple l'emportera sur l'autre et l'aîné servira le cadet. » [3] Vous devez apercevoir qui est Isaac, qui est Rébecca, et de quel peuple il a déclaré qu'il est plus grand que l'autre. [4] Dans une autre prophétie, Jacob s'exprime plus clairement. Il dit à son fils Joseph : « Voici que le Seigneur ne m'a pas privé de ta présence ; amène-moi tes fils, que je les bénisse. » [5] Joseph amena Éphraïm et Manassé, avec l'intention de faire bénir Manassé qui était l'aîné. Joseph le conduisit donc vers la main droite de son père

Jacob. Mais Jacob vit en esprit une figure du peuple futur. Et qu'est-il dit ensuite : « Il transposa les mains et mit la droite sur la tête d'Éphraïm, le deuxième et le plus jeune, et il le bénit. Joseph dit alors à Jacob : Replace ta main droite sur la tête de Manassé, car il est mon fils premier-né. Mais Jacob répondit à Joseph : Je sais, mon fils, je sais ; mais l'aîné servira le plus jeune qui du reste sera aussi béni. » [6] Examinez de quels personnages Jacob a décidé qu'ils seraient le premier peuple et l'héritier du testament. [7] Que si Abraham lui-même a mentionné ce peuple-là, nous tenons de lui l'achèvement de notre connaissance. Or qu'est-ce que Dieu a dit à Abraham, quand celui-ci, ayant été seul à croire, fut établi dans la justice ? « Voici, Abraham, que je t'ai établi le père des peuples incirconcis qui croient à Dieu. »

CHAPITRE QUATORZE

C eci dit, voyons maintenant et recherchons si l'alliance que Dieu avait juré aux ancêtres de donner à leur peuple, lui a été réellement donnée. Assurément il l'a donnée ; mais eux (les Juifs) n'étaient pas dignes de la recevoir à cause de leurs péchés. [2] Le prophète dit en effet : « Moïse sur le mont Sinaï jeûna quarante jours et quarante nuits afin de recevoir l'alliance faite par le Seigneur avec le peuple. Et Moïse reçut du Seigneur les deux tables écrites en esprit par le doigt de la main du Seigneur. » Les ayant donc prises, il les rapportait au peuple pour les lui remettre, [3] lorsque le Seigneur lui dit :

« Moïse ! Moïse ! descends au plus vite, car ton peuple que tu as ramené de la terre d'Égypte a violé la loi. » Et Moïse comprit qu'ils s'étaient encore fabriqué des idoles : il jeta les tables de ses mains, et ces tables qui contenaient l'alliance du Seigneur furent brisées. » [4] Moïse a donc reçu le testament, mais les Juifs n'en ont pas été dignes. Or, apprenez comment il se fait que c'est nous qui avons reçu l'alliance : Moïse l'avait reçue à titre de serviteur ; mais c'est le Seigneur en personne qui nous l'a donnée, comme au peuple héritier, après avoir souffert pour nous. [5] Il est apparu, et afin que les Juifs missent le comble à leurs péchés, et afin que nous reçussions l'alliance par l'intermédiaire de l'héritier, le Seigneur Jésus. Il avait été préparé afin que sa venue en ce monde délivrât de leurs ténèbres nos âmes déjà minées par la mort, en proie aux égarements de l'impiété, et que sa parole réglât parmi nous son alliance. [6] L'Écriture en effet raconte que le Père lui ordonna de nous délivrer des ténèbres et de se préparer un peuple saint. [7] Ainsi le prophète dit :

« Moi le Seigneur ton Dieu,

Je t'ai appelé dans la justice,

Je te prendrai par la main et te fortifierai ;

J'ai fait de toi l'alliance du peuple,

La lumière des nations,

Pour ouvrir les yeux des aveugles,

Tirer de leurs liens les captifs

Et de leur prison ceux qui sont assis dans les ténèbres. »

Connaissons donc de quel état nous a fait sortir notre rédemption. [8] Le prophète dit encore :

« Voici que je t'ai établi pour être la lumière des nations,

Pour servir au salut jusqu'aux confins de la terre.

Ainsi parle le Seigneur, le Dieu qui t'a racheté. »

[9] Le prophète dit aussi :

« L'Esprit du Seigneur est sur moi

Car il m'a oint

Pour porter la bonne nouvelle de la grâce aux humbles,

Il m'a envoyé guérir les cœurs brisés,

Annoncer la libération aux prisonniers,

Et le retour de la vue aux aveugles

Pour publier l'année agréable du Seigneur

Et le jour du payement de compte,

Pour consoler tous ceux qui sont en deuil. »

CHAPITRE QUINZE

Il est également question du sabbat dans l'Écriture, dans les dix paroles que Dieu prononça face à face devant Moïse sur le mont Sinaï : « Sanctifiez le sabbat du Seigneur avec des mains pures et un cœur pur. » [2] Puis dans cet autre endroit : « Si mes fils gardent le sabbat, je répandrai ma miséricorde sur eux. » [3] Le sabbat est mentionné dès le commencement de la création : « Dieu fit en six jours les œuvres de ses mains ; il les eut achevées le septième jour ; il se reposa ce jour-là et le sanctifia. » [4] Faites attention, mes enfants, à ces paroles : « Dieu accomplit son œuvre en six jours » ; cela signifie que Dieu en six mille ans amènera toutes choses à leur fin, car pour lui un jour signifie mille années, ainsi qu'il me l'atteste lui-même : « Voici, un jour du Seigneur sera comme mille ans. » Donc, mes enfants, en six jours, c'est-à-dire en six mille ans, l'univers sera consommé. [5] « Et il se reposa le septième jour, » a la signification suivante : Quand son Fils sera venu mettre fin au délai accordé aux pécheurs, juger les impies, transformer le soleil, la lune et les étoiles, alors il se reposera glorieusement le septième jour. [6] Mais il est encore dit : « Vous le sanctifierez avec des mains pures et un cœur pur. » S'il y avait aujourd'hui un homme au cœur pur capable de sanctifier le jour que Dieu a rendu saint, nous nous serions complètement trompés. [7] Mais remarquez que nous ne prendrons de repos avec honneur et que nous ne sanctifierons le sabbat, que lorsque nous en aurons été rendus capables, par notre justification personnelle, par notre mise en possession de la promesse, après la destruction de toute iniquité, et la rénovation de toutes choses par le Seigneur. Nous serons alors en état de le sanctifier, nous-mêmes ayant été sanctifiés d'abord. [8] Enfin il dit encore aux Juifs : « Je ne supporte pas vos néoménies et vos sabbats. » Voyez bien ce qu'il veut dire : Ce ne sont point les sabbats actuels qui me plaisent, mais celui que j'ai fait et dans lequel, mettant fin à l'univers, j'inaugurerai le huitième jour, c'est-à-dire un autre monde. [9] C'est pourquoi nous célébrons avec joie le huitième jour, où Jésus est ressuscité et où, après s'être manifesté, il est monté aux cieux.

CHAPITRE SEIZE

J'ai encore à vous entretenir, à propos du temple, de l'erreur des malheureux (Juifs), qui ne mettaient point leur espoir dans leur Dieu qui les avait créés, mais dans un édifice, avec la pensée qu'il était la maison de Dieu. [2] Ils lui ont dédié un sanctuaire dans le temple à peu près à la manière des païens ; mais apprenez en quels termes le Seigneur frappe d'interdit le temple :

« Qui a mesuré le ciel à l'empan
    Ou la terre dans le creux de la main ?
    N'est-ce pas moi ? dit le Seigneur.
    Le ciel est mon trône,
    Et la terre mon marchepied.
    Quelle est la maison que vous me bâtirez,
    Ou quel sera le lieu de mon repos ? »

Vous avez bien vu que leur espérance est vaine. [3] Enfin il dit encore : « Voici que ceux-là mêmes qui ont détruit ce temple le rebâtiront. » [4] [C'est ce qui arrive]. Comme les Juifs étaient en guerre, leurs ennemis démolirent le temple ; et maintenant les serviteurs de ces ennemis le rebâtiront. [5] Il avait été prédit aussi que la cité, le temple, le peuple d'Israël seraient livrés : « Il arrivera, dit l'Écriture, que dans les derniers jours le Seigneur livrera à la destruction les brebis de son pâturage avec leur bercail et leur tour. » Or l'évènement a eu lieu comme le Seigneur l'avait annoncé. [6] Recherchons donc s'il existe encore un temple de Dieu. Il en existe un sans doute, mais là où lui-même déclare le bâtir et le restaurer ; car il est écrit : « Et il arrivera qu'après la semaine écoulée un temple de Dieu sera bâti magnifiquement au nom du Seigneur. » [7] J'estime donc que le temple existe. Mais comment devra-t-il être bâti au nom du Seigneur, je vais vous le dire. Avant que nous eussions foi en Dieu, l'intérieur de nos âmes était corruptible et chétif, en vérité tout comme un temple bâti de main d'homme ; il était rempli du culte des idoles, une demeure des démons, puisque nous faisions tout ce qui contrarie Dieu. [8] « Mais il sera bâti au nom du Seigneur ». Veillez-y, de sorte que le temple du Seigneur soit magnifiquement bâti. De quelle façon, le voici. C'est en rece-vant la rémission de nos péchés, c'est en espérant au nom (du Seigneur), que nous devenons des hommes nouveaux, que nous sommes recréés de fond en comble ; c'est ainsi que Dieu habite réellement en nous, en notre intérieur. [9] Comment cela ? (En nous demeurent) sa parole objet de notre foi, l'appel de sa promesse, la sagesse de ses volontés, les préceptes de sa doctrine ; lui-même, il prophétise en nous, il habite en nous, il nous ouvre la porte du temple, c'est-à-dire la bouche (pour la prière) à nous qui étions assujettis à la mort, il nous accorde le repentir et nous introduit de la sorte dans le temple incorruptible. [10] Aussi celui qui désire son salut, ne regarde pas à l'homme (qui le lui annonce) mais à Celui qui demeure en lui et qui parle par lui, effrayé de n'avoir jamais écouté les paroles de Celui qui parle par la bouche (du prédicateur), ni même désiré les entendre. Voilà ce que signifie le temple spirituel bâti pour le Seigneur.

CHAPITRE DIX-SEPT

Je vous ai donné ces explications de mon mieux, avec toute la simplicité possible. Mon âme espère n'avoir rien omis, dans son zèle, de ce qui concerne le salut. [2] Si je vous écrivais sur des choses présentes ou à venir vous ne les comprendriez guère, car elles gisent encore en des paraboles. Que les choses que nous venons de traiter restent donc ainsi.

CHAPITRE DIX-HUIT

Passons maintenant à une autre sorte de connaissance et de doctrine. Il existe deux voies d'enseignement et d'action : celle de la lumière et celle des ténèbres ; mais il y a une grande différence entre elles. À l'une sont préposés les anges de Dieu conducteurs de lumière, à l'autre les anges de Satan. [2] Dieu est le Seigneur depuis l'origine des siècles et pour les siècles, Satan le prince du temps présent favorable à l'impiété.

CHAPITRE DIX-NEUF

Or voici quel est le chemin de la lumière : Si quelqu'un veut parvenir jusqu'à l'endroit assigné, qu'il s'applique avec zèle à ses œuvres. Et voici la connaissance qui nous a été donnée de la façon d'y cheminer : [2] Aime Celui qui t'a créé, crains Celui qui t'a façonné, glorifie Celui qui t'a racheté de la mort ; sois simple de cœur et riche de l'esprit ; point d'attache avec ceux qui marchent dans le chemin de la mort ; haine à tout ce qui déplaît à Dieu ; haine à toute hypocrisie. Tu n'abandonneras pas les commandements du Seigneur ; [3] tu ne t'élèveras pas, mais tu seras humble en tout ; tu ne t'attribueras point la gloire ; tu ne formeras point de mauvais desseins contre ton prochain, tu ne permettras pas l'insolence à ton âme. [4] Tu ne commettras ni fornication ni adultère, tu ne corrompras point l'enfance. Ne te sers pas de la parole, ce don de Dieu, pour dépraver quelqu'un. Tu ne feras point acception de personne en reprenant les fautes d'autrui. Sois doux, sois calme ; tremble aux paroles que tu entends ; ne garde pas rancune à ton frère. [5] Tu ne te demanderas pas avec inquiétude si telle chose arrivera ou non. « Tu ne prendras pas en vain le nom du Seigneur. » Tu aimeras ton prochain plus que ta vie. Tu ne feras pas mourir l'enfant dans le sein de la mère ; tu ne le tueras pas davantage après sa naissance. Tu ne retireras pas la main de dessus ton fils et ta fille ; mais dès leur enfance tu leur enseigneras la crainte de Dieu. [6] Tu n'envieras point les biens de ton prochain ; tu ne seras pas cupide. Tu n'attacheras pas ton cœur aux orgueilleux, mais tu fréquenteras les humbles et les justes. Tu regarderas comme un bien tout ce qui t'arrive, sachant que rien n'arrive sans Dieu. [7] Tu n'auras point de duplicité ni en pensées ni en paroles : car la duplicité de langage est un piège de mort. Tu te soumettras à tes seigneurs avec respect et crainte, comme à des représentants de Dieu. Tu ne commanderas pas avec amertume à ton serviteur ou à ta servante qui espèrent dans le même Dieu que toi, de peur qu'ils n'en viennent à ne plus craindre Dieu qui est votre commun maître et qui n'appelle point selon les différentes catégories de personnes, mais tous ceux que l'Esprit a disposés. [8] Tu communiqueras de tous tes biens à ton prochain et tu ne diras point que tu possèdes quelque chose en propre, car si vous participez en commun aux biens impérissables, combien plus aux biens périssables. Ne sois pas bavard, car la langue est un piège de mort. Pour le bien de ton âme, tu seras chaste au degré qui te sera possible. [9] N'aie pas les mains étendues pour recevoir, et fermées pour donner. Tu chériras

« comme la prunelle de ton œil » quiconque te prêchera la parole de Dieu. [10] Tu penseras nuit et jour au jour du jugement et tu rechercheras constamment la compagnie des saints, soit que tu travailles par la parole, allant porter des exhortations et cherchant par tes discours à sauver une âme, soit que tu travailles des mains pour racheter tes péchés. [11] Tu donneras sans délai et sans murmure ; et tu reconnaitras un jour qui sait récompenser dignement. « Tu observeras » les commandements que tu as reçus, « sans y rien ajouter, sans en rien retrancher ». Tu haïras le mal jusqu'à la fin. « Tu jugeras avec équité. » [12] Tu ne feras pas de schisme ; mais tu procureras la paix en réconciliant les adversaires. Tu feras l'exomologèse de tes péchés. Tu n'iras pas à la prière avec une conscience mauvaise. Tel est le chemin de la lumière.

CHAPITRE VINGT

Le chemin du Noir est au contraire tortueux et plein de malédiction ; c'est le chemin de la mort et du châtiment éternels ; il s'y rencontre tout ce qui perd les âmes : l'idolâtrie, l'impudence, l'orgueil du pouvoir, l'hypocrisie, la duplicité du cœur, l'adultère, l'homicide, la rapine, la fierté, la désobéissance, la fraude, la malice, l'arrogance, l'empoisonnement, la magie, la cupidité, le mépris de Dieu, [2] les persécuteurs des gens de bien, les ennemis de la vérité, les amis du mensonge ; ceux qui ne connaissent pas la récompense de la justice, qui « ne s'attachent pas au bien », ni à la justice dans les jugements, qui ne se dévouent pas à la veuve et à l'orphelin, qui sont toujours en éveil non pour craindre Dieu mais pour faire le mal, qui sont bien éloignés de douceur et de patience, « qui aiment les vanités, qui poursuivent la récompense », qui sont sans pitié pour le pauvre, sans zèle à secourir les affligés, qui sont enclins aux propos injurieux, qui ne connaissent point leur Créateur, « qui tuent les enfants » ou qui détruisent par avortement des créatures de Dieu, qui repoussent le pauvre et accablent les opprimés, les avocats des riches et les juges iniques des pauvres : pécheurs de toute espèce.

CHAPITRE VINGT-ET-UN

Il est donc juste que l'homme s'instruise de toutes les volontés de Dieu qui sont écrites, et qu'il chemine d'après elles. Celui qui les accomplit sera glorifié dans le royaume de Dieu, tandis que celui qui choisit les iniquités de l'autre voie périra avec ses œuvres. C'est pour cela qu'il existe une résurrection et une compensation. [2] À vous qui êtes en quelque manière au-dessus des autres et qui voulez bien accepter de moi un conseil de bonne intention, j'adresse une prière : vous avez auprès de vous à qui faire du bien, n'y manquez pas. [3] Le jour est proche où toutes choses périront avec le méchant : « Le Seigneur est proche ainsi que sa récompense ». [4] Je vous en prie encore et encore : soyez vous-mêmes vos bons législateurs, restez vous-mêmes vos fidèles conseillers ; éloignez de vous toute hypocrisie. [5] Puisse Dieu, qui domine l'univers, vous donner la sagesse, l'intelligence, la science, la connaissance de ses volontés, la persévérance. [6] Soyez les dociles apprentis de Dieu, cherchant ce que le Seigneur demande de vous, et faites en sorte d'être trouvés (dignes) au jour du jugement. [7] S'il persiste quelque mémoire du bien (fait parmi vous), souvenez-vous de moi en réfléchissant sur mes paroles, en sorte que mon zèle et mes veilles aboutissent à quelque bien. Je vous en prie, vous le demandant comme une grâce. [8] Tant que vous serez dans ce gracieux vase (du corps), ne négligez aucune des choses que nous venons de dire ; mais recherchez-les continuellement et accomplissez tous les commandements ; la chose en vaut la peine. [9] C'est le motif principal de mon empressement à vous écrire, parmi les choses à ma portée, de quoi vous réjouir.

Portez-vous bien, enfants d'amour et de paix.

Que le Seigneur de gloire et de toute grâce soit avec votre esprit.

Épître de Barnabé.

Lightning Source UK Ltd.
Milton Keynes UK
UKHW012214251021
392837UK00002B/138